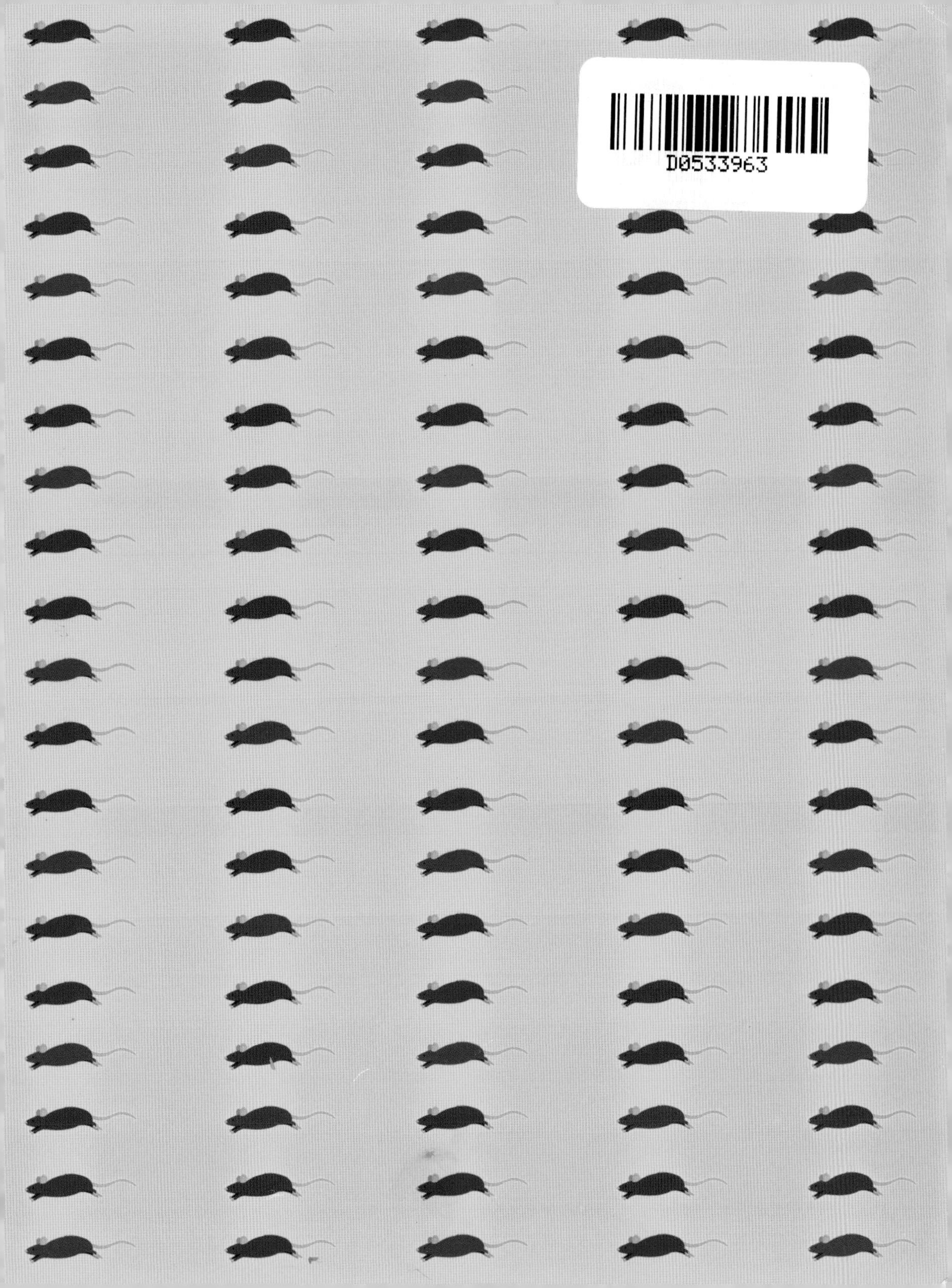

Direction générale : Gauthier Auzou
Responsable éditoriale : Claire Simon
Mise en pages : Marine Berthelot
Relecture : Lise Cornacchia
Responsable fabrication : Jean-Christophe Collett – Fabrication : Nicolas Legoll
www.auzou.fr

Dépôt légal : janvier 2015

Loi n° 49-956 du 16 juillet 1949 sur les publications destinées à la jeunesse.

Le Joueur de flûte

D'après le conte des frères Grimm
Adapté par Sophie de Mullenheim
Illustrations de Margaux Saltel

AUZOU

Il était une fois une petite ville qui s'appelait Hamelin. Ses habitants étaient riches. Ils avaient de bons métiers et de grandes maisons. Ils portaient de somptueux vêtements et mangeaient des plats délicieux. Ils avaient aussi de beaux enfants mais ils ne s'occupaient jamais d'eux. Ils préféraient compter leur argent.

Un jour, un nouvel habitant arriva à Hamelin. Il n'était pas très grand. Il avait quatre petites pattes, un museau pointu, de minuscules yeux noirs et de belles moustaches. Sa fourrure était grise, et sa queue longue et rose. C'était un rat !

Personne ne le vit se faufiler dans un grenier rempli de grain.

Le rat se plut tout de suite à Hamelin. Il trouvait tout ce qu'il voulait pour ses repas : du blé, des pommes de terre, des fruits mûrs et même du saucisson. Il y avait aussi de jolis tissus à grignoter et d'épaisses toiles pour se tenir au chaud.

Un jour, pourtant, le rat dut s'absenter
de la ville. Mais pas pour très longtemps.
Il allait chercher sa famille.

Quelques jours plus tard, quand il revint, le rat n'était plus seul. Des centaines d'autres le suivaient. Il y avait là ses frères et ses sœurs, ses cousins, ses voisins, des amis et même des rats qu'il ne connaissait pas mais qui, en l'entendant parler de la ville, voulaient y vivre eux aussi. Cette fois-ci, les habitants de Hamelin virent les rongeurs arriver de loin.

Alors, la vie à Hamelin devint impossible. Il y avait des rats partout : dans les greniers, dans les cuisines et jusque dans les lits. Ils mangeaient tout ce qu'ils trouvaient, grignotaient les jolis rubans, cassaient la belle vaisselle et crottaient les maisons.

Aucun piège ne fonctionnait, aucun poison n'était assez puissant pour les tuer tous.

Bientôt, il n'y eut presque plus de pain ni de fruits, et encore moins de saucissons. Si les rats ne partaient pas, les habitants de Hamelin allaient mourir de faim.

Ces derniers n'arrivant pas à se débarrasser des rongeurs, ils décidèrent d'offrir mille pièces d'or à celui qui réussirait à les éliminer tous.

Dès le lendemain, un homme se présenta à l'entrée de la ville.
Il portait un chapeau pointu et des vêtements colorés.
Il sortit une flûte de son sac et commença à jouer un air étrange.

Aussitôt, le premier rat qui était arrivé à Hamelin se précipita pour l'écouter. Bientôt, ses cousins et ses voisins le rejoignirent. Très vite, tous les rats de la ville se rassemblèrent autour du joueur de flûte. La musique les attirait.

Alors, le musicien sortit de la ville et tous les rats le suivirent. En arrivant près du fleuve, il entra dans l'eau jusqu'à la taille et les rongeurs se jetèrent derrière lui. Comme ils ne savaient pas nager, ils se noyèrent tous. Hamelin était débarrassé de ses rats !

Mais les habitants étaient mauvais.
Quand le joueur de flûte vint réclamer sa récompense, ils refusèrent.
« Nous ne te paierons pas mille pièces d'or pour un petit air de musique ! dirent-ils. Tiens, en voici cinquante, et fiche le camp d'ici ! »

Le joueur de flûte protesta et gronda,
mais les habitants s'en moquaient.
Et quand le musicien promit
qu'il reviendrait pour se venger,
ils ne l'écoutèrent pas.

Quelques jours plus tard, les habitants de Hamelin furent réveillés par un air de flûte. Ils se penchèrent à la fenêtre de leur maison et reconnurent l'homme avec son chapeau pointu et ses habits colorés.
« Ce n'est pas avec sa musique qu'il pourra se venger», ricanna l'un d'entre eux méchamment.
Mais à peine eut-il fini sa phrase que les premiers enfants s'approchèrent du joueur de flûte. Bientôt, ils furent tous autour de lui.

Alors, le musicien sortit lentement de la ville
et les enfants le suivirent.
« Revenez ! criaient leurs parents. Restez ici ! »
Mais les enfants n'écoutaient pas.

Le joueur de flûte marcha longtemps, les enfants derrière lui. Personne ne les revit jamais. Mais parfois, quand le vent souffle, les habitants de Hamelin entendent des rires d'enfants heureux.

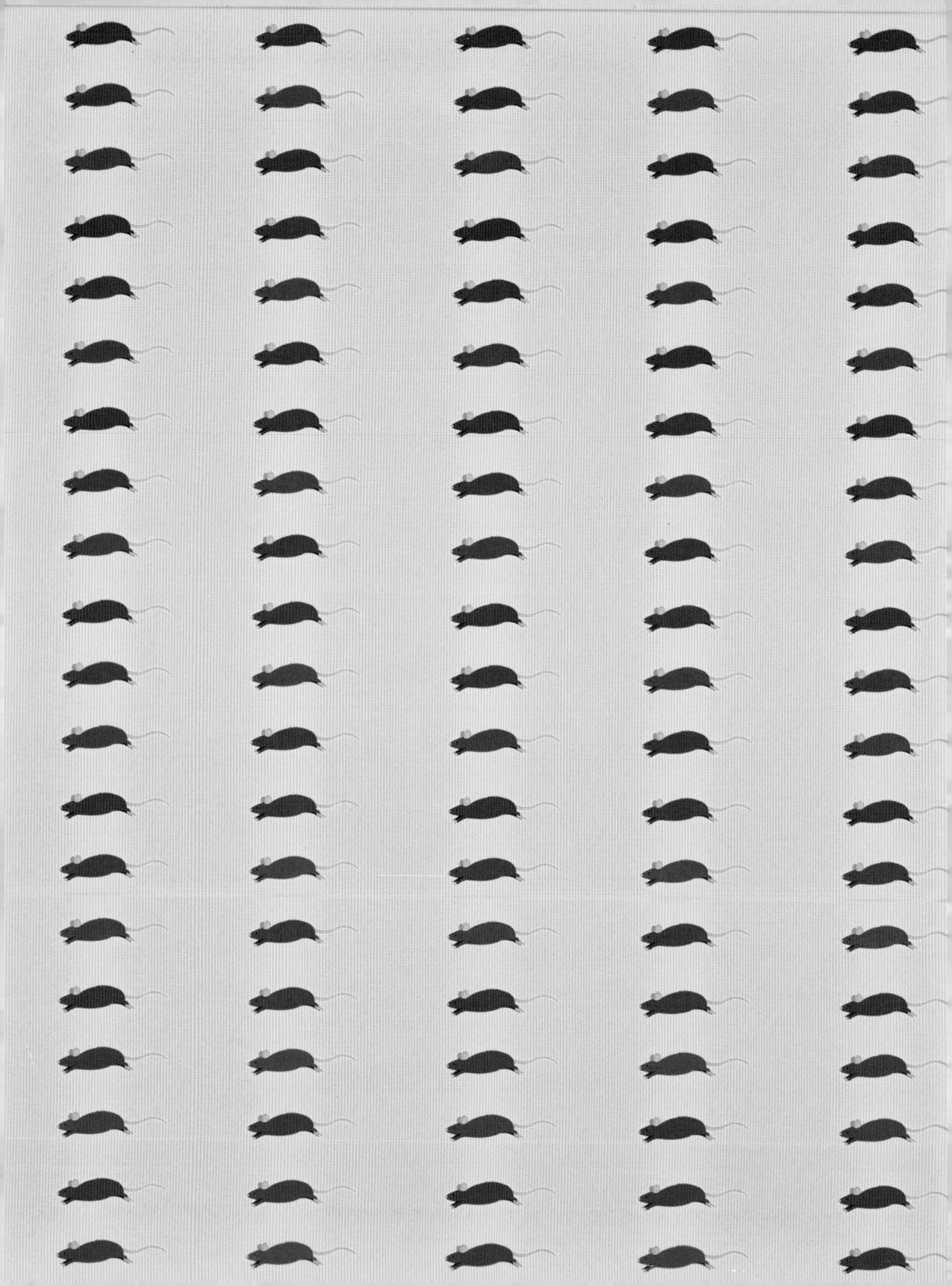